U0065843

在這一冊中，你將在「電子支付」的世界裡冒險。電子錢包之類的非現金支付方式，相信大家都已經很熟悉了。這些「看不見的金錢」比起「看得見的金錢」（現金），可說是更加方便的「工具」，但要運用得當也更加困難。

對了，你知道一個人一輩子大概會花掉多少錢嗎？答案是大約新臺幣4千萬元。

本書會告訴你，這4千萬元從你的手上離開後，會如何在社會上流通，以及如何慢慢改變這個世界。

我們所有人的金錢使用方式，將會改變所有人的未來，以及地球的未來。來吧！跟著我們繼續旅行及訓練吧！包含你在內，但願能夠靠我們所有人的雙手，打造出更加美好的社會。

—— 安算悅子

日本文部科學省消費者教育指導員

理財勇者RPG

KO 12個生活中真實情境 電子貨幣的消費難題

II

電子支付挑戰篇

MONEY
ROLE-PLAYING GAME

著 學研PLUS　監修 安算悅子 日本文部科學省消費者教育指導員

譯 李彥樺　審定 魏郁禎 國立臺北教育大學教育經營與管理學系教授

※本書所指的「交通儲值卡」主要是用來搭乘公車或捷運，如臺灣慣用、常見的悠遊卡或一卡通。

補習終於結束了！

我口好渴啊！

幸好我有這張魔法「交通儲值卡」※1，就算不花錢也能買東西！

鏘鏘

快住手！

我是金錢女神**瑪妮娜**！

是誰？

冒出

媽媽說看到可疑人物要趕快逃走……

抓住！

笑嘻嘻

我不是可疑人物！

唔

用交通儲值卡買東西，又不會花到錢包裡的錢，有什麼關係！

荷包飽滿！

交通儲值卡並不是什麼魔法卡片，花掉的錢還是會消失，只是眼睛看不見而已。

如果你沒辦法好好管理這種看不見的金錢……

目　錄

本書閱讀方式 ·································· ☞ P.6

STAGE 1

用不到的圖書禮券，
該如何處理 ？

哪些東西擁有和金錢相同的價值？

☞ P.8

STAGE 2

到底該不該用交通儲值卡
來買東西呢 ？

如何正確使用交通儲值卡

☞ P.12

STAGE 3

要怎麼管理交通儲值卡的
餘額 ？

理解交通儲值卡的機能

☞ P.16

STAGE 7

某收費遊戲在辦「限時
免費」的活動，該下載
來玩嗎 ？

網路上常看見的「免費」，
真的是免費嗎？

☞ P.34

STAGE 8

網路遊戲裡有人要給我
「付費才能取得的道具」，
我可以接受嗎 ？

能在遊戲裡向其他人收錢
或道具嗎？

☞ P.38

STAGE 9

付費會員的帳號，
能夠和朋友共用嗎 ？

思考關於會員帳號及密碼的問題

☞ P.44

理財勇者RPG
START ☞

STAGE **4**

網路直播時贊助的錢，
比事先儲值的錢還多

注意電信代收的陷阱

☞ P.20

STAGE **5**

好想要遊戲裡某樣必須
花錢才能拿到的道具，
該怎麼辦才好

信用卡與三方契約

☞ P.26

STAGE **6**

在網路上購物，
應該使用哪種支付方式

明白各種支付方式的差異

☞ P.30

STAGE **10**

在家裡刷牙的時候，
該不該一直開著水龍頭

思考金錢與永續發展目標（SDGs）
的關係

☞ P.48

STAGE **11**

該買塑膠餐盒的便當，
還是紙餐盒的便當

思考購買與丟棄的關係

☞ P.52

STAGE **12**

朋友的生日快到了，
該買什麼樣的蛋糕

關心永續發展目標（SDGs）
的購物方式

☞ P.56

揭曉統計結果 .... ☞ P.62

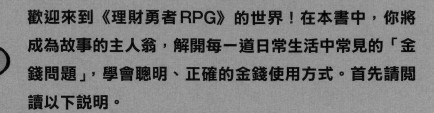

本書閱讀方式

歡迎來到《理財勇者RPG》的世界！在本書中，你將成為故事的主人翁，解開每一道日常生活中常見的「金錢問題」，學會聰明、正確的金錢使用方式。首先請閱讀以下說明。

在《理財勇者RPG》的世界裡，你會遇上許許多多的問題。你必須為每道問題選擇一個答案，然後翻到下一頁，看看選擇這個答案會有什麼結果。不同的選擇會帶出不同的結果，並且能提升你各種不同的能力，例如「幸福加1點」、「善良加3點」等。隨著這些數值的提升，你的「金錢使用能力」也會不斷升級。回答完全部12道關卡的問題後，你將會知道自己在《理財勇者RPG》的世界裡屬於什麼樣的類型。

1 隨著回答的問題越多，數值也會不斷累加上去。請先影印右頁的三角圖，每次在數值提升時，就如右圖所示，把增加的額度畫上線條。建議用粗一點的筆來記錄。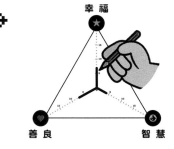

2 回答完12道關卡的問題後，像右圖把每個數值用線連起來。

> 統計完後，就翻到P.62確認統計結果。

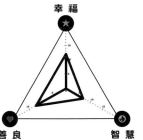

☞ 如果沒辦法影印，可以在筆記本上畫出像右邊這樣的簡單表格。每次提升數值，就用「正」字來記錄。等到回答完12道關卡的問題後，挑出數值最高的項目及第二高的項目。

★ 幸福	正 正 正
♥ 善良	正
◉ 智慧	正 正 正

可以將這個表
影印下來使用！

數 值 表

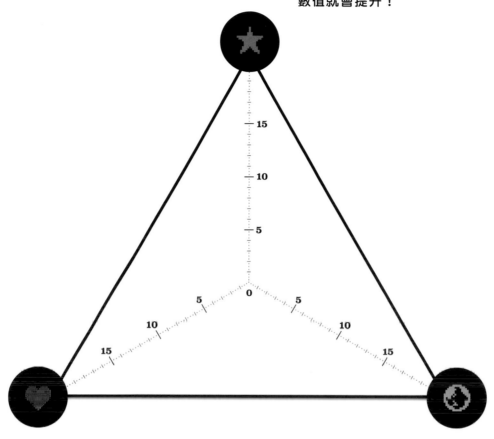

幸福 當自己感覺到幸福時，
數值就會提升！

15
10
5

5   0   5
10   10
15   15

善良 **智慧**

當選擇的項目是為他人或
整個社會著想時，數值就
會提升！

當選擇的項目對整個地球
環境或生物有好處時，數
值就會提升！

現在就讓我們進入《理財勇者RPG》的世界吧！

這個故事的結局，由你自己來決定！

STAGE

1

用不到的圖書禮券，該如何處理？

你這次考得很好呢！

爺爺奶奶送你圖書禮券。

……謝謝爺爺奶奶。

Q 本日難題　因為你考試成績優異，爺爺奶奶送了圖書禮券給你。但你不太喜歡看書，用不到圖書禮券，不曉得該怎麼辦才好。

▶A　▶B　▶C

從這3個選項中挑選。

A 送給喜歡看書的朋友

B 將來可能會用到，先收起來

C 買書送給朋友

既然用不到，乾脆送給愛看書的朋友吧。

這張圖書禮券送給你！

哇！謝謝你！

你把圖書禮券送給朋友，朋友非常高興。送給想要的人，應該是正確的決定吧！

next

雖然不曉得會不會用得到，還是先收起來好了。

你把圖書禮券放進了專門放重要物品的抽屜裡。或許在將來的某一天，圖書禮券會派上用場。

next

這本書送給妳！

這剛好是我想看的書！謝謝你！

你假裝若無其事的詢問一個愛看書的朋友「最近有沒有想看的書」，然後買那本書送給對方。對方拿到書之後非常開心。

next

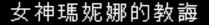

預付卡的價值等於實質的錢，一定要好好珍惜！

　　先支付了金錢，購買隨時可以用來買東西的卡片，就稱作「預付卡」。預付卡的種類五花八門，像圖書禮券及儲值卡都算是，共同的特徵是可以當成金錢來購物或搭乘交通工具。由於預付卡的效用和金錢相同，所以絕對不能隨便將預付卡送給朋友，或是接受朋友送的預付卡。當然也不能隨便使用預付卡買東西送給朋友。這些都是不應該做的行為，要特別留意。

　　如果朋友透過免費通訊 APP，要求你「購買預付卡，然後把上面的認證號碼告訴他」，千萬不能答應，這很可能是詐騙，社會上經常發生這樣的糾紛。很可能是朋友的帳號遭到壞人盜用，壞人假裝是你的朋友，要來騙你的錢。下表中的伺服器型預付卡，最容易發生這樣的詐騙事件。

　　預付卡是一種非常便利的工具，但是在使用上要特別小心謹慎。就跟實質的錢一樣，使用時應該要隨時提高警覺，並且好好珍惜。

種類	特徵	例子
紙本型	購買紙本的卡片或商品券來使用。只能使用卡片上所寫的金額，用完之後沒有辦法再儲值進去。	例如禮券。
磁條型	購買磁條型的卡片來使用。只能使用卡片上所寫的金額，用完之後沒有辦法儲值。	例如商品卡。
晶片型	事先將金錢儲值在卡片裡，付錢的時候只要拿出卡片輕輕碰觸機器就行了。卡片裡頭有晶片，能夠記錄金錢的收支狀況。	例如悠遊卡、一卡通等交通儲值卡，或是超市、便利商店所發行的晶片購物卡。
伺服器型	購買印有認證號碼的卡片，付錢時必須在網路上輸入認證號碼，或是使用二維碼（如 QR 碼）。	例如購買遊戲的卡片，以及網路商店所發行的禮品卡、購物卡等。

※ 有些卡片是有期限的，記得在期限內使用完畢，以避免浪費。

STAGE

2

到底該不該用交通儲值卡來買東西呢❓

這臺販賣機可以用交通儲值卡付錢。

我錢包裡沒有錢。

A

用交通儲值卡買飲料

B

不用交通儲值卡買飲料

Q 本日難題　你每個星期有兩天必須搭捷運到補習班上課。這天你在回家的時候，在月臺上發現了一臺能夠用交通儲值卡付錢的自動販賣機。你覺得有點口渴，剛好手邊有交通儲值卡，很想要買飲料來喝。

▶ A　　▶ B
從這 2 個選項中挑選。

只要把交通儲值卡放在自動販賣機上頭嗶一下，就可以買飲料，不僅方便而且不會花到錢包裡的錢，簡直像是魔法卡片！以後一定要常常使用！

next

當初爸爸媽媽給你這張卡片，是為了讓你搭捷運去補習班，再搭捷運回家，如果拿來做其他事情不太好。

next

A 的結果……

錢不夠了？

這樣要怎麼去補習班？

☞ 買飲料喝的當天雖然很開心，但過了幾天後，你發現卡片裡面的錢不夠，沒辦法通過捷運閘門。爸爸媽媽在裡頭儲值的錢，好像只剛好讓你搭捷運而已。

△ **本來應該要搭捷運，但是錢不夠了！**

★「幸福」增加1點！

B 的結果……

就算不喝飲料也不會怎麼樣……

I'm home!

但如果沒辦法回家，那可就慘了！

☞ 交通儲值卡裡頭的錢，目的是用來搭乘捷運等大眾交通運輸。如果使用在其他地方，要坐車時可能就會發現餘額不足。雖然很想喝飲料，但如果因為餘額不足而沒辦法去補習班或回家，那可就慘了。所以還是稍微忍耐一下吧。

○ **確保搭捷運的錢一定足夠！**

♥「善良」增加2點！

儲值卡裡頭還有多少錢？

現在許多人都會用悠遊卡、一卡通等交通儲值卡來搭乘捷運或公車。像交通儲值卡這類型的晶片預付卡，除了能夠用來搭乘大眾交通運輸外，也能夠在超市、便利商店或自動販賣機買東西。

但是交通儲值卡能夠花的錢，就只有事先放進裡頭的金額，絕對不是張可以免費買東西的魔法卡片。舉例來說，假設搭捷運回家要花 30 元，儲值卡裡面的金額有 45 元，如果你又花了 20 元買飲料，卡片裡面的餘額就會不夠坐車回家了。

另外還有一點需要注意，那就是光看卡片沒辦法知道裡頭還剩下多少錢。為了避免要用的時候才發現裡面的錢不夠，平常就要隨時確認裡頭還剩下多少錢。建議可以和爸媽討論交通儲值卡裡頭的錢要怎麼用、可以用在哪些地方。

第 11 頁有一張表格說明了預付卡的種類與特徵，如果你還不是很清楚，可以翻回去看一看。

交通儲值卡是一種相當方便的預付卡，可以在許多場合輕鬆付款……

但是要隨時注意金額，以免要用的時候才發現錢不夠。

要怎麼管理交通儲值卡的餘額？

A

確認交易紀錄

B

不要在意

Q 本日難題　你想要搭捷運去補習班，使用交通儲值卡通過閘門時，發現畫面上顯示的餘額只剩「30元」。原本裡頭應該還有 150 元左右才對，你不知道餘額為什麼會變得這麼少。

▶ A　　▶ B
從這 2 個選項中挑選。

捷運站裡有可以查詢交易紀錄的機器。你決定來查詢看看。

next

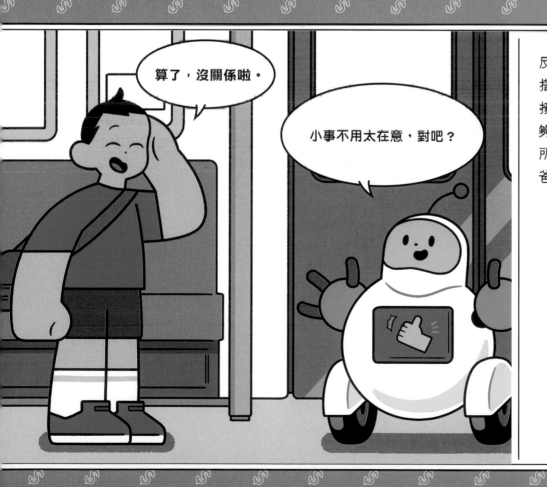

反正還有 30 元，足以讓你搭車回家，因此你決定直接回家。但是剩下的錢不夠下次搭捷運去補習班，所以回家之後，得記得跟爸爸媽媽拿錢來儲值。

next

A 的結果……

我想起來了！

漫畫

交易紀錄

商店 120 元

用交通儲值卡來付錢實在太輕鬆，常常會忘記把錢用到哪了。所以最好養成定期確認交易紀錄及餘額的習慣，這樣才能規劃接下來的用錢計畫。

○ **定期確認交易紀錄！**

♥ 「善良」增加 1 點！

B 的結果……

到底把錢花到哪裡去了？

我也忘記了……

IC

交通儲值卡之類的預付卡，從卡片外觀看不出來裡頭還有多少錢。但是預付卡就如同現金，一定要像現金一樣好好管理，經常確認交易紀錄，而且養成記帳的習慣。

✕ **看不見的金錢也要好好管理！**

沒有提升任何數值。

女神瑪妮娜的教誨

你怎麼花錢，卡片都知道！

　　預付卡之類的電子支付，會把「什麼時候」、「在哪裡」、「買了什麼」、「花了多少錢」全部記錄下來。以交通儲值卡來說，只要使用捷運站裡的查詢機器，就可以查到所有紀錄。所以如果偷偷把錢花掉，一定會被發現。

　　其他的非現金交易方式也一樣，大部分都可以使用智慧型手機裡頭的APP查詢交易紀錄。使用的時候，一定要經常確認交易紀錄，除了可以知道自己把錢花在什麼地方，如果遭別人盜用的話，也可以立刻發現。

　　有一些非現金交易還可以與智慧型手機或電腦裡的專用記帳APP連結，省去每一次都要記帳的時間。如果用筆記本來記帳，每一筆都要看著發票抄寫下來，而且還要自己計算金額，實在是非常麻煩。但如果能使用連了支付系統的記帳APP，不但不用自己寫，而且還絕對不會算錯。

　　這些技術從2010年代開始快速發展，但因為變化速度太快，可能家人也不太了解。遇到這種情況，可以和家人一起研究該怎麼使用，學習更加聰明的金錢管理方式。

牛奶25元

車資20元

零食15元

紀錄

使用電子支付的時候，只要一察覺「不對勁」，可以趕緊用 APP 確認紀錄。

因為一定會留下紀錄，所以不可能瞞著家人偷偷使用。

STAGE

4

網路直播時贊助的錢，比事先儲值的錢還多？

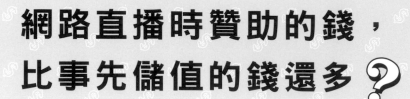

其他玩家贊助了很多錢喔！

好！我也要贊助更多錢！

50 元
請加油！

150 元
加油！

100 元
幹得好！

A 暫時別再贊助金錢了

B 好幸運！贊助更多錢

 本日難題　爸爸以他的名字幫你辦了一支智慧型手機，最近你很喜歡用手機看網路直播，而且還會贊助直播主。你所贊助的金錢，已經超過當初購買的預付卡金額，但好像什麼事也沒有發生……

▶ A　　▶ B
從這 2 個選項中挑選。

贊助的金額超過預付卡的金額，這一定有問題。你決定暫時不再贊助金錢，免得花的錢超過了自己的零用錢。

next

應該是系統出了錯誤，才可以免費贊助這麼多錢，不是你的錯。於是你繼續贊助，你最喜歡的直播主也很開心，真是太幸運了！

next

A 的結果……

遊戲儲值

仔細想想，我還有很多想買的東西。

你能夠不被誘惑，停止繼續贊助，實在是很了不起。照理來說能夠贊助的金額不可能超過原本儲值的金額，如果發生這樣的狀況時，建議可以問問看家人知不知道是怎麼回事。就算是在自己能自由運用的零用錢範圍之內，也要仔細想清楚要在什麼東西上花多少錢，千萬不能一時衝動就把錢花掉了。

○ 付錢時要謹慎小心，花錢之前要仔細考慮清楚。

♥「善良」增加 2 點！

B 的結果……

這麼多錢，你花到哪裡去了？

對不起！

電信代收 7000 元

過了幾天，電信業者寄來了大約7000 元的帳單。原來網路直播贊助金可以併入電信費一同付款。為了避免這種超額消費的情況，未來只要有任何狀況讓你感到不對勁，你應該立刻告訴家人，讓家人幫助你解決問題。

✕ 在網路上花的錢，一定會被收取！

沒有提升任何數值。

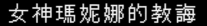

女神瑪妮娜的教誨

當心電信代收服務！

所謂的電信代收，就是透過提供手機通訊服務的電信業者支付費用的機制，通常費用會合併在手機的通訊費裡頭。

以這次的情況來說，應該是用來觀看網路直播的手機設定為付款時不須輸入密碼，所以才會在不知不覺中以電信代收的方式支付了贊助直播主的費用。當發生這樣的狀況，等於是擅自花掉家人的錢。電信代收也是一種非現金支付系統，支付之後一定會留下「什麼時候」、「買了什麼」、「花了多少錢」等紀錄，所以如果不小心花了，一定要趕緊告訴家人，不可以隱瞞。

為了避免發生不小心花了錢的狀況，可以嘗試改變智慧型手機的設定。只要特別注意以下幾點，就可以達到預防的效果。

- ・設定付款時的密碼。
- ・付款完畢會收到告知付款事宜的電子郵件。

此外，如果要使用電信代收的服務，一定要事先和家人約好可以把錢花在什麼地方，以及可以花多少錢。最好是在自己的零用錢帳簿上，清楚記錄下「日期」、「金額」及「支付對象」。

網路直播通常可以免費觀賞，但如果要「贊助」直播主，就必須花錢。就算你花的是自己的零用錢，那也是爸爸媽媽給你的。能不能拿來「贊助」直播主，一定要事先與爸爸媽媽討論。

付款的紀錄都可以查得到，如果覺得不放心，就確認一下吧。

電信代收簡單又方便，所以使用時要特別小心。

啊，好久不見！你現在也是住在城堡裡嗎？

是啊，我不必離開城堡，就可以做到任何事情。

太好了，你來得正好！

為了你好，我覺得你應該和他們一起進行金錢之旅，學習如何使用金錢。

驚！

唉……既然是女神的委託，那也沒辦法。

放心交給我吧！我會好好指導他們！

哎！

你真的買過很多東西嗎？

懷疑

那……那當然！

其實購物的手續都是交給僕人去做，我自己不太清楚……

買這個可以嗎？

ok！

太好了，我們的同伴增加了！

快出發吧！

王子成為了同伴！

好想要遊戲裡某樣必須花錢才能拿到的道具，該怎麼辦才好？

好想要這把劍，但是要 100 元……

A 花錢得到那樣道具

B 先和父母商量

Q 本日難題 在你家的客廳裡，有一臺全家人共用的筆記型電腦。你用這臺筆記型電腦玩起網路遊戲，在遊戲裡看見了一樣非常想要的道具，但是這個道具要花錢才能得到。現在該怎麼做才好？

▶ A ▶ B
從這 2 個選項中挑選。

你進入遊戲內的「商店」，發現爸爸的信用卡不知為何已經登錄在裡頭了。畫面上要你輸入密碼，你剛好知道，於是你就買下去了！好幸運！

next

雖然用登錄好的信用卡似乎就能購買，但是爸爸經常告誡「不能花錢買遊戲裡的東西」，所以你決定和爸爸商量看看。把想要這個道具的理由及心情說出來，或許爸爸就會答應。

next

A 的結果……

以後禁止你單獨使用筆記型電腦！

沮一喪

不會吧！

幾天之後，爸爸發現你擅自刷卡購買遊戲裡的道具。只要一查信用卡的交易紀錄，馬上就會發現。能夠使用信用卡的人，就只有信用卡的「持有人」，也就是名字寫在信用卡上面的那個人。就算是家人，也不能隨便拿來使用。

✕ 不能擅自使用家人的信用卡！

沒有提升任何數值。

B 的結果……

一旦在遊戲裡花錢，以後就會沒完沒了，還是忍耐一下吧。

好啦好啦

爸爸果然不答應……

遊戲裡面的花費如果越積越多，到最後要支付的金額會相當可怕。不只是遊戲，信用卡可以在網路上支付各種鉅額款項，雖然很方便，但也相當可怕。首先要確實克制自己「想買道具」、「想花錢」的欲望，才能成為一個受到信任的人。

○ 當個能夠受到信任的人吧！

♥「善良」增加3點！

信用卡是受到信任的證明！

　　只有持卡者本人才能使用信用卡，其他人絕對不能使用。有時信用卡的資料會留在智慧型手機裡，變成家人也可以自由使用的狀態；但就算是這種情況，也不可以擅自使用信用卡而沒有告訴家人。

　　對了，你知道什麼是信用卡嗎？信用卡是一種「事後付款」的支付方式。例如買東西時，信用卡的使用者不必直接把錢支付給店家，信用卡公司會代替使用者支付。等到固定的日子，使用者再把所有金額償還給信用卡公司。換句話說，使用信用卡可以暫時不支付費用，就跟「借錢」是一樣的意思。

　　因此只有信用卡公司認定「應該會在期限內付錢」的人，也就是受到信用卡公司信任的人，才能夠使用信用卡。什麼樣的人能夠受到信任？通常是有穩定的工作及收入，或是能夠證明自己擁有一定財產的人。因為這樣的狀況，一般來說孩童和青少年不太可能持有信用卡。家人能夠擁有信用卡，是因為他們受到信任。

　　同樣的道理，父母給你零用錢，或是給你交通儲值卡讓你搭捷運，也是因為信任你，相信你能好好管理這些錢，千萬不要辜負了他們的期待。

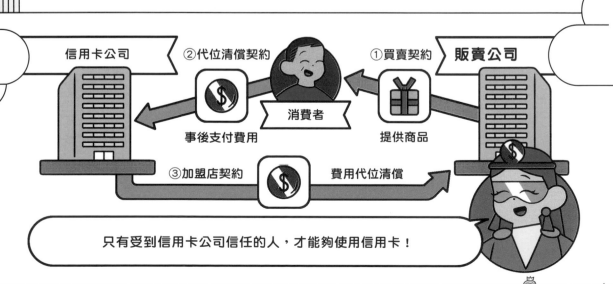

信用卡公司	②代位清償契約	消費者	①買賣契約	販賣公司
			提供商品	
	事後支付費用			
	③加盟店契約	費用代位清償		

只有受到信用卡公司信任的人，才能夠使用信用卡！

STAGE

6

在網路上購物，應該使用哪種支付方式？

這個看起來好好吃！

也可以用便利商店先付款後取貨呢！

該採用先取貨後付款，還是採用貨到付款？

A 選擇先付款後取貨

B 選擇貨到付款

C 選擇先取貨後付款

Q 本日難題　你們全家看了電視上介紹的宅配甜點，好想吃看看！接著你們用電腦研究了半天，雖然決定好要買什麼，但是費用的支付方式有三種，不知道該選哪一種才好。爸爸和媽媽似乎也拿不定主意。

▶ A　　▶ B　　▶ C
從這 3 個選項中挑選。

next

送出訂單後，系統會以電子郵件告知「付款編號」，帶著這個編號前往便利商店完成付款，接著就只要等商品送達就行了。

next

「貨到付款」是在收到商品的當下支付費用的制度。因為不知道什麼時候會送達，媽媽早就已經把錢準備好了。

next

使用先取貨後付款的制度購買商品。就像用信用卡買東西一樣，店家馬上就會將商品寄出，費用也只要在付款的期限前準備好就行了。

A 的結果……

真希望趕快送來。

金額已確認入帳。

採用先付款後取貨的方式，大部分的店家都會在確認收到錢後才將商品寄出，所以通常得多花一些時間才會收到商品。但因為已經付完錢了，所以不用擔心會忘記付錢。

○ 先付款後取貨，店家會在確認收到錢後才出貨。

★「幸福」增加2點！

B 的結果……

開動了！

採用貨到付款，就不用擔心會像「先取貨後付款」那樣一個不小心就花太多錢，但麻煩的是必須把錢準備在身邊。

○ 貨到付款有好處也有壞處。

★「幸福」增加2點！

C 的結果……

麻煩你了！

昨天的甜點真是太美味了！

繳費單會和商品一起寄來。必須拿著繳費單，到便利商店繳費。先取貨後付款通常必須支付手續費，一定要事先確認清楚。還有，千萬不能忘記必須在期限之前繳費完畢。

△ 商品很快就會送達！但是先取貨後付款是一種「借錢」！

沒有提升任何數值。

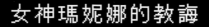

女神瑪妮娜的教誨

你知道嗎？「先取貨後付款」就是借錢！

支付的方式大致上可分為三種，分別是「先付款後取貨」（例如以預付卡事先儲值）、「貨到付款」（把錢付給送貨員），以及「先取貨後付款」（例如網路購物的先取貨後付款服務）。

如果採用「先取貨後付款」，就算手邊沒有錢也可以立刻得到商品，只要在繳款期限之前把錢準備好就行了。

或許你會認為「這真的非常方便」，但有幾點必須特別注意。

首先，「先取貨後付款」是一種借貸的行為。就算手邊沒有錢也可以買東西，所以可能會不小心買得太多，事後才發現沒有能力償還。如果是使用當場付現金或是預付卡的方式，就算再怎麼胡亂花錢，頂多也只會花到完全沒有錢而已。但如果是採用「先取貨後付款」卻胡亂花錢，最後可能會欠了一大筆錢卻還不出來。就算剛開始的時候，只是打算「暫時先借一下」，也可能在不知不覺中借了很多錢，最後無力償還。這就是「先取貨後付款」的危險之處。所以大部分的「先取貨後付款」制度，都會規定未滿18歲的未成年人必須先取得家人（例如監護人）的同意。

另外還有一點，那就是先取貨後付款的支付方式通常會收取手續費。現在的社會有著各式各樣的支付方式，雖然非常方便，但一定要先確認清楚每一種支付方式的優缺點。

「先取貨後付款」就是借錢，使用上一定要特別小心！

STAGE 7

某收費遊戲在辦「限時免費」的活動，該下載來玩嗎？

限時免費！
※1

有免費的
推廣活動！

A

趁現在趕快下載

B

先和家人商量

Q 本日難題 平常都要收費的網路遊戲，正在舉辦「限時免費」的推廣活動。班上的朋友都告訴你「這個遊戲好好玩」，你不想錯過這個機會……

▶ A　　▶ B
從這 2 個選項中挑選。

既然免費,還不快下載來玩!

沒錯,現在是最好的機會!

平常收費的遊戲,難得舉辦限時免費的活動,當然不能錯過。你從以前就很想玩這個遊戲,一定是上天實現你的心願了吧。你抱著這樣的想法,下載了遊戲。

next

爸爸,這個遊戲現在免費……

先問問看家人的意見吧。

爸爸媽媽常告誡你「絕對不能擅自在網路上花錢或買遊戲」,雖然這次不用花錢,你還是決定先取得他們的同意。而且你仔細看「限時免費」的大字底下,還有好幾排小字……

next

A 的結果……

這個月的手機費為什麼這麼貴？

咦？我什麼都沒有買啊……

☞ 「限時免費」如果換個說法，意思就是「過了期限之後就要收費」。很多網路遊戲都是只有剛開始的時候才免費，等到過了免費期間，就會自動收取費用。除了遊戲之外，還有一些音樂及漫畫的訂閱制商品也經常舉辦類似的推廣活動，所以千萬不要被「免費」這兩個字給沖昏了頭。

△ 「限時免費」雖然不算說謊，但其實是一種商業話術……

★「幸福」增加1點！

B 的結果……

※1
30天的免費體驗結束之後，將自動收取每個月298元的費用。詳情請參見商品條約。

……？

你仔細看這裡！

原來不是永遠免費？

☞ 「免費」原來只是暫時而已。過了一段期間之後，就會開始收費了。於是你和爸爸約定好只在免費的期間玩，過了這段期間就要解除契約。解除契約的方式，也已經事先確認過了。把免費推廣活動的結束日期寫在月曆上，就不用擔心會忘記解除契約。

○ 可以試玩看看，但別忘了先確認解除契約的條件。

♥「善良」增加3點！

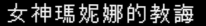

申請服務的同時，也要確認解除契約的方法！

應該有很多人在網路廣告上看過這種強調「免費」的限時推廣活動吧？例如上頭寫著「30天內免費」，這時有些人就會想著趁免費期間用用看就好，卻沒有發現後頭還有附帶條件，例如「免費期間結束後必須成為收費會員達半年以上」，或是「除非自行解除契約，否則免費期間結束後會自動成為收費會員」等。像這些條件，通常都會寫得比「限時免費」的宣傳文字小得多。相信有很多人如果遇上了，會認為「這根本是在騙人」，但站在企業的立場，或許會反駁「這是很好的商品，希望大家都能趁免費期間成為會員」。

然而最麻煩的一點，是在想要解除契約的時候，往往沒那麼容易。尤其是一些比較惡劣的公司，會故意把條件或解除契約的方法寫得很難懂，或是讓人找不到。

如果是未滿18歲的未成年人（參見第33頁），在沒有得到家人（監護人）同意下簽訂的契約，原則上可以主張契約無效。但如果未成年人在簽約時謊稱已得到監護人同意，或是虛報年齡，就沒有辦法主張契約無效，這點必須特別注意。

不管想要試用什麼商品或服務，在登錄或簽約之前，一定要先和家人討論過，確認其性質、條件、解約時間、解約方法等。

試用之前一定要再三確認！

- 免費期限是到什麼時候？
- 密碼是什麼？
- 如何聯繫客服？
- 如何解除契約？
- 會不會自動續約？

就算是再怎麼感興趣的推廣活動，試用前一定要確認解除契約的方法。

STAGE 8

網路遊戲裡有人要給我「付費才能取得的道具」，我可以接受嗎？

這把劍給你吧！

那可是非常昂貴的稀有寶物！

這樣戰力就能大幅提升了！

A 道謝後收下

B 不接受，但謝謝他的好意

Q 本日難題

你在網路遊戲裡有著許多現實中並不認識的朋友，其中一個朋友突然說要給你「稀有道具」。對方似乎是大人，應不應該接受呢？

▶ A　▶ B
從這 2 個選項中挑選。

雖然在現實中並不認識，但是那個朋友和你在網路上認識很久了，以前也合作打倒過許多強敵。你心裡猜想，或許是對方欣賞你的表現，所以想要送禮物給你也不一定。雖然那是必須付費才能得到的道具，但你還是開開心心的收下了。

既然是必須付費才能得到的道具，這表示對方是花了現實中的錢才得到。對方如果把這個道具送給你，就跟現實生活中送你東西是一樣的意思，你應該以「爸爸媽媽說不可以」為理由拒絕對方。

A 的結果……

你的盾牌看起來不錯！上次我給了你劍，這次輪到你給我盾牌了！

☞ 過了幾天之後，那個人發現你擁有一樣稀有的道具，要求你把那個道具給他。你不給，他就以「上次我給了你一把劍」為理由，和你吵了起來。就跟現實中的金錢一樣，在遊戲裡也不應該與他人收受道具。

✕ 一旦欠了人情，就容易發生爭吵。

沒有提升任何數值。

B 的結果……

你繞到右邊！

好！

☞ 玩線上遊戲還是要以安全為最大考量，就算因為拒絕而惹對方生氣，那也沒有辦法。為了不招惹麻煩，下決定前一定要考慮清楚，不能只在意眼前的利益。

○ 沒有人情壓力，就比較不會發生爭吵。

★「幸福」增加 4 點！

不接受、不見面、不告知！

　　近 20 年來多了很多必須連接網路才能遊玩的線上遊戲。有些可以一個人玩，有些則是必須要與其他玩家互相合作。利用打字或是語音輸入的方式互相溝通，完成遊戲中的困難任務，或許是一件相當有成就感的事情。但是在與其他玩家互動時，一定要注意以下幾點。

不接受	就算有人要給你特別的道具，也不能接受。
不見面	有人提出見面的要求，絕對不能答應。
不告知	對現實生活中從來沒見過面的玩家，絕對不能說出自己的個人資料，例如住址、姓名、電話號碼、就讀學校等。

　　或許你剛開始會認為「我才不會和網路上認識的人見面」，但是在遊戲裡相處久了之後，你可能漸漸會覺得自己跟對方已經是好朋友，這種時候反而特別危險。有些人說要給你稀有道具，或許也是要和你建立交情，再找機會把你約出來。事實上有很多孩童和青少年都因為這樣而受害。

　　另外還有一種情況，對方可能先給你稀有道具，事後才對你說「我只是借你而已，如果你不還道具的話，就還我買那個道具的錢」。像這種情況，如果對方知道你的個人資料，可能會跑到你家來找你……

　　雖然網路遊戲很好玩，但一定要注意安全，千萬不要讓自己遭遇危險。

網路遊戲裡，每個玩家的背後都有一個真實存在的人。

想要避免發生糾紛，訣竅就是不要與任何人收受任何道具。

關於網路上看不見的金錢，我們已經完全了解囉！

絕對不會再讓自己惹上麻煩了！

掰掰～

那我先回自己的城堡了。

試煉可還沒結束！

驚

看不見的金錢，可還不止這些呢。你想像得出來嗎？

唔，完全想不出來……

能夠想像看不見的金錢，才是獨當一面的專家！

空中傳來了聲音？

是我啦！

白雲出現了！

雲會說話？

接下來請你們帶著他一起旅行。

請多多指教！

隨著網路的發達，現在有越來越多種類的非現金支付方式。

所以我就這麼誕生了！

到目前為止，你們只學了「看不見的金錢」在支付上的運用。

但除此之外，看不見的金錢還能發揮很多效果。

錢除了買東西之外，還能發揮其他效果？

沒錯！

ECO

當買了東西之後，付出的錢會在社會上流通……

這些錢會對許多人及地區，甚至是地球環境造成影響。

原來如此！

我是第一次聽到！

太深奧了！

關於金錢的冒險旅程要進入最高潮了！

讓我們找出錢能發揮的各種神奇效果吧！

嗯！出發吧！

白雲成為了同伴！

43

STAGE 9

付費會員的帳號，能夠和朋友共用嗎？

我也想看那個動畫！把你家的帳號 ID 和密碼告訴我！

咦？為了看這個會員限定的動畫……

A　告訴他

B　不告訴他

Q 本日難題　你的家人訂閱了影片串流服務，成為付費會員。有個朋友知道這件事後，對你說「我想要看某某節目，把你家的帳號 ID 和密碼告訴我」……

▶ A　　▶ B
從這 2 個選項中挑選。

你們家加入的影片串流服務，付費會員可以共用帳號，讓兩臺機器同時觀看，不必額外付費。既然不會給爸爸媽媽添麻煩，你決定把帳號及密碼告訴朋友。

next

家人之間共用同一個帳號當然沒有關係，但是要把帳號密碼告訴別人，你感到很不安，所以並沒有答應。那個朋友看起來不太開心，又跑去找其他人拜託相同的事情。

next

A 的結果……

咦？為什麼沒辦法看電影了？

連線失敗

☞ 有些影音服務的契約內容規定只能和家人共用帳號。如果把帳號密碼告訴家人以外的其他人，帳號可能會遭到凍結，或是衍生出額外的費用。因此帳號及密碼絕對不能告訴其他人。

✕ 帳號可能會遭停權，或是產生額外的費用。

沒有提升任何數值。

B 的結果……

就是這樣！上啊！

這部電影好有趣！

哇～

☞ 你看了契約內容，發現共用帳號只限家人。要享受服務，也應該要遵守規則，如此才能安心的欣賞影片！

○ 不能把帳號資料告訴他人！

★「幸福」增加 5 點！

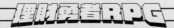

女神瑪妮娜的教誨

契約是非常重要的約定

影片串流服務，指的就是「隨時可以在家裡欣賞自己想看的影片」的服務，有些服務採用的是收費會員制。不管是任何人，只要知道付費會員的帳號與密碼，都可以用那個會員的帳號來觀賞影片。因為這個緣故，有些人會想要把帳號與密碼分享給朋友。而且因為家人會定期支付費用，所以分享的人也不會覺得自己是在做壞事。

然而這是不對的行為。提供影片串流服務的企業，能夠知道想要播放影片的是哪一臺機器（如電視、電腦或平板電腦）。因此就算輸入了帳號與密碼，想要播放影片可能也會遭到拒絕。

而且要加入影片串流服務的會員，通常在簽約及付款時會訂下一些關於播放者及機器數量的條件，例如「僅限家庭內播放，機器數量最多兩臺」。如果沒有好好確認契約內容，隨便讓他人以不同的機器播放影片，可能會造成自己家裡的機器無法播放影片，甚至會因為違反契約而必須支付違約金。

影片串流服務是讓家人之間享受影片的服務，在使用時一定要遵守規則，只和家人們分享。

使用者

· 支付費用
· 只能在家庭內使用
· 不能違法複製
　　　　……等

支付費用只是規則的一部分而已。

提供的企業

· 準備影片讓使用者觀看
· 不能洩漏個人資料
· 7天之內必須允許使用者取消契約
　　　　……等

如果沒有好好遵守其他規則，就會無法繼續享受服務。

STAGE 10

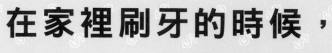

在家裡刷牙的時候，該不該一直開著水龍頭？

A 刷牙時開著水龍頭

B 刷牙時關掉水龍頭

Q 本日難題

你的家人每天會在吃完早餐以後和睡覺以前，站在洗臉臺前面刷牙。爸爸刷牙時會一直開著水龍頭，而媽媽則會把水龍頭關掉。哪邊才是正確的做法呢？

▶ A ▶ B

從這 2 個選項中挑選。

反正等一下就要把水龍頭打開，不如一直開著水龍頭比較省事。而且你覺得耳中聽著「嘩啦嘩啦」的水聲，才有正在刷牙的感覺。反正開著水龍頭，零用錢也不會減少，沒有必要關掉。

next

刷牙的時候如果一直開著水龍頭，流出來的水都會浪費掉。既然只有剛開始及最後需要用到水，其他時間就應該把水龍頭關掉。

next

A 的結果……

不可以浪費水！要節約用水！

對不起……

☞「用多少水，就要付多少的水費！所以絕對不能浪費水！」媽媽看見你一直開著水龍頭，這麼告誡你。你這才知道原來水龍頭的水也要花錢。

✕　用了多少水，就要付出多少的水費！

沒有提升任何數值

B 的結果……

這次的水費比上次便宜呢！

對錢包和對地球都是好事一件！

☞ 家裡的自來水也必須花錢買，所以不能浪費。而且水也是地球的珍貴資源，所以我們每個人都要提醒自己不可以浪費水，以後也要過著節約用水的生活。

◎　關心我們的地球也是一件很重要的事。

♥「善良」增加 2 點！
🌐「智慧」增加 5 點！

女神瑪妮娜的教誨

水並不是免費，也不是用之不竭

家裡用了多少電，就要付多少的電費。同樣的道理，用水也要付水費。舉例來說，假如打開水龍頭30秒，大概會流出6公升的水，大約必須支付水費0.055元（※1）。以下以刷牙的3分鐘時間裡一直打開水龍頭，來計算每個月必須多花多少錢。

打開水龍頭1分鐘⋯⋯⋯⋯⋯⋯⋯⋯30秒為6公升，乘2就是12公升。

→刷牙時間為3分鐘⋯⋯⋯⋯⋯⋯⋯每分鐘12公升，乘3就是36公升。

→假設一家有4人，每天刷牙3次⋯每次36公升，乘上4人再乘上3次就是432公升。

→持續一個月⋯⋯⋯⋯⋯⋯⋯⋯⋯每天432公升，乘上30天就是12960公升。

一家四口光是一個月的刷牙用水，就會浪費掉這麼多！計算成水費就是119元。

另外，自來水在流進家裡前，必須先在淨水廠處理乾淨，而且必須用公寓的馬達將水抽到家裡的水龍頭，這些都必須消耗很多的電。還有，當自來水流進污水處理廠時，要讓水變乾淨也必須耗力。所以節約用水的同時，也能省下這些電。

事實上全世界只有大約3分之1的人口，日常生活中能夠使用「來自水管的安全自來水」（※2）。水也是有限的資源，就跟金錢一樣，絕對不能浪費。

※1 臺灣的水費平均1度（1000公升）為9.2元，換算下來每公升為0.0092元。

※2「Progress on household drinking water, sanitation and hygiene, 2000-2017」（WHO unicef）

水其實也是一種看不見的金錢。

只要用點心，每個人都能守住自己的金錢及地球資源。

理財勇者RPG

STAGE

11

該買塑膠餐盒的便當，還是紙餐盒的便當？

A

使用塑膠餐盒的餐廳

B

使用紙餐盒的餐廳

該選哪一個才好呢？

Q 本日難題　有兩家可以外帶便當的餐廳，一家使用塑膠餐盒，另一家使用紙餐盒。兩家的價錢差不多，而且一樣好吃。該買哪一家餐廳的便當呢？

▶ A　　▶ B
從這2個選項中挑選。

既然價錢差不多，而且一樣好吃，當然是看自己想吃什麼就買什麼。畢竟不是每天都可以吃餐廳的外帶便當，當然要吃好一點，挑選自己喜歡的菜色。

以前買外帶的便當，不管是餐盒、湯匙或吸管，大都是塑膠製品，但是最近有越來越多的店家改成了紙製品，你猜想這一定有什麼理由。現在全世界似乎正在推廣紙類的餐具。

A 的結果……

塑膠容器的原料，來自蘊藏量有限的石油資源。一旦塑膠垃圾流進海裡，就會污染海洋，造成嚴重的問題。所以就算是在戶外用餐，也一定要把垃圾帶回家處理。先將餐盒沖洗乾淨之後，再放進資源回收箱，這些塑膠就可以成為回收再利用的原料了。

○ 用完餐後，垃圾一定要確實處理好，做好垃圾分類。

★「幸福」增加 2 點！
♥「善良」增加 1 點！

B 的結果……

盡量使用紙餐盒，能夠有效減少塑膠的垃圾量。但是紙製品也是用地球珍貴的資源製造出來的，因此還是得留意不要過度包裝，才能真正發揮善待地球的效果。

◎ 平時盡量貢獻自己的一份心力。

★「幸福」增加 2 點！
♥「善良」增加 2 點！
⚽「智慧」增加 5 點！

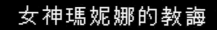
購買的當下，要思考丟棄時的後果

能夠將美味的餐廳料理帶到店外享用，是一件令人開心的事。但你有沒有想過，在你吃完美味的餐點後，你所丟棄的垃圾可能會引發問題……

塑膠容器如果在用完後隨手亂丟，或是被風吹走，可能會掉進河裡，最後順著河水流入大海，長久囤積在海中，形成「海洋塑膠垃圾」。根據專家的推估，到了2050年，海洋塑膠垃圾的量甚至會超越海中的魚群（※）。如果要以焚燒的方式處理塑膠垃圾，還會產生大量的溫室氣體（二氧化碳），造成全球暖化。就算是埋進土裡，也可能會產生有害物質，造成土質污染。

那如果不使用塑膠容器，改用紙容器呢？從環保的觀點來看，紙比塑膠好一點。但是紙張在生產的時候，必須消耗木材、能源及大量的水資源。而且因為紙張比塑膠重，又比較占空間，運送時需要比較多的卡車來載運，而增加的卡車也會排放出更多的溫室氣體。

因此最重要的觀念，是隨時做到「3R」，盡可能減少垃圾量（參見下圖）。拒絕塑膠容器及過度包裝的Reduce（減少使用），不要用完就丟的Reuse（物盡其用），以及確實做到資源回收的Recycle（循環回收）。

想要讓我們的地球永遠保持乾淨美麗，我們必須每天都如此提醒自己。思考如何使用金錢的同時，也可以做到守護我們的地球。

※ The New Plastics Economy: Rethinking the future of plastics (2016 Jan. World Economic Forum)

REDUCE	REUSE	RECYCLE
減少使用	物盡其用	循環回收

3R

在用錢的時候，也要隨時把這 3R 放在心上。

STAGE 12

朋友的生日快到了，該買什麼樣的蛋糕？

要買什麼樣的蛋糕好呢？

A 盡量買便宜一點的蛋糕

B 當地自產自銷的蛋糕

C 身障人士製作的愛心蛋糕

Q 本日難題　好朋友要在家裡舉辦一場生日宴會，大家分工合作，有的負責裝飾，有的負責買禮物，而你負責買蛋糕。蛋糕的錢是大家平均分攤。但你很煩惱，不曉得該買哪一家的蛋糕才好。

▶ A　　▶ B　　▶ C
從這 3 個選項中挑選。

買便宜的蛋糕，
就可以送貴一點的禮物！

有道理！雖然便宜，
但應該很好吃吧！

蛋糕的費用是由參加者平均分攤。為了盡量減少大家的負擔，你決定買便宜一點的蛋糕。

next

所有食材都是在地生產。
這個蛋糕是自產自銷喔！

自產自銷是
什麼意思啊？

完全使用
本地生產的食材！

這家蛋糕店的賣點，似乎是標榜所有的水果及食材都是在地貨。既然是這樣的話，上頭的草莓應該就是住家附近那座農場栽種的吧。

next

來買身障人士經手製作的
蛋糕如何？

那是什麼樣
的店？

這家店標榜的是甜點的製作過程會請身障人士協助處理。雖然你也說不上來買這家店的蛋糕具有什麼樣的意義，但你決定去看一看。

next

用愛來使用錢，能夠拯救地球

「金錢」有影響社會的重大效果，就像是在整個社會上循環流動的血液。「金錢」循環越順暢的地區，通常就會越富裕，發展的速度也會越快。

假設你買了某一家店的蛋糕，你付出的「金錢」就會進入這家店中，這家店會想要製作更多相同的蛋糕來賣。假如這些商品在製作的過程中，確實顧到環保、減少垃圾量、協助身障人士或振興地方經濟，類似的商品製作得越多，人類及整個地球就會變得越幸福。反過來說，假如這些商品在製作的過程中傷害了某些人，甚至是整個地球，我們的社會就會變得越來越糟糕。

相信很多人聽過永續發展目標（SDGs）。這是在聯合國的會議上，由193個國家及地區所採納的目標。要實現這些目標，良心消費（Ethical consumerism）是一個相當重要的觀念。它指的是在消費時，選擇的商品或服務必須有友善對待我們的社會、居民，或是地球環境。我們在購物的時候，不能只注意到商品的價格及外觀。為了讓全世界的人都露出笑容，為了讓地球上的所有生物都過得幸福，當我們在使用金錢時，我們應該投入我們的愛。所有人都要共同努力，這就是SDGs所標榜的「不遺棄任何一個人」的社會理念。當然你也不例外，為了讓你的錢能夠對世界有所貢獻，當你在使用金錢時，一定要再三考慮清楚。

良心消費	製造良心商品的企業獲得利潤	世界變得更美好
	企業製造更多的良心商品	
	良心商品在全世界流通	

你所付出的金錢，就像一道看不見的流水，能夠讓世界變得更美好。

生日宴會好開心！

我這裡有爸爸的信用卡，再買個禮物給你吧！

哇一

爸媽媽的信用卡不能隨便拿來用喔！

真的假的？

看來你已經累積相當多的經驗了。

掰掰～

啊，女神大人！

對於看不見的金錢，你已經相當了解了嗎？

看不見的金錢和現金有些不一樣，在使用上要特別小心！

但其實它們同樣都是錢，購物消費的時候一定要多為自己、其他人及整個地球著想。

自己　其他人　地球

你的金錢觀念完全改變了，讓我很感動。

拭淚

能夠幫得上忙，我也很開心。

看來你對非現金支付的世界已經有些熟悉了呢。

讚！

機器人、王子及白雲！謝謝你們的協助！

這段期間我玩得很開心。

理財勇者RPG

該學會的重要觀念，
你全都學會了，
我們該向你道別了。

咦？你們要走了？

如今這個時代，
金錢有著各式各樣
的面貌。

想要擁有正確用錢的能力，
最重要的是想像力。

雖然一個不小心就容易花得太多，
但要記帳及管理也變得比較容易。

不管是優點還是缺點，
我們都要好好了解。

花太多錢會有什麼後果？
商品是怎麼被製造出來的？
我們需要發揮想像力來思考這些問題。

「自己」、
「其他人」及
「地球」！

想要與金錢好好相處，
就必須隨時將這三者的關係
放在心上。

女神大人，我明白了！
謝謝大家！

你度過了一段宛如 RPG 遊戲
般的日子。

如今的你，已經對金錢的使用方式
有了一定程度的了解。

這些觀念會一直跟
著你，直到永遠。

~ Fin. ~

翻到下一頁，看看你與金錢的相處模式吧！

你屬於什麼類型 ？

回答完 12 道關卡的問題後，請把所有的點數加起來。根據最後的數值，可以看出你在《理財勇者 RPG》的世界裡屬於什麼類型。「幸福」、「善良」、「智慧」這三個項目之中，我們只看數值最高及第二高的兩個項目。找出這兩個項目的組合，再對照右表，就能得知你屬於什麼樣的類型。快來確認看看吧！

最高的數值 ▼		第二高的數值 ▼		類型 ▼
★ 幸福	＋	◐ 智慧	＝	A
★ 幸福	＋	♥ 善良	＝	B
◐ 智慧	＋	♥ 善良	＝	C
◐ 智慧	＋	★ 幸福	＝	D
♥ 善良	＋	★ 幸福	＝	E
♥ 善良	＋	◐ 智慧	＝	F

以右邊的數值表為例，
「幸福」是最高的數值，
其次是「善良」，
所以就是 B 類型。

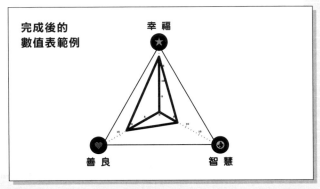

完成後的
數值表範例

幸福 ★

善良 ♥ 　　 智慧 ◐

※ 如果數值相同，可以選擇自己喜歡的一方作為數值較高者。

MONEY

我已經把我的生命獻給了創作。

充滿夢想的藝術家

你是一個孤獨的「藝術家」，最重視的是自己，以及自己所生活的環境。你不擅長存錢，但你擅長把錢花在對的地方。如果你在使用金錢的時候，能夠多懷抱一些仁慈及感恩之心，那就更完美了！

理財勇者RPG

MONEY

我的「喜好」能夠帶來大家的笑容！

創造笑容的表演家

屬於「表演家」類型的你，擅長與周圍的夥伴共同打造舞臺，你能夠將自己的幸福分享給每一個重要的夥伴。在金錢上，有時你會表現得相當慷慨。但是建議你除了生活周遭的同伴之外，你也應該多為其他人著想。

理財勇者RPG

勇敢的英雄

我將賭上自己的性命，守護這個星球的未來！

屬於「英雄」類型的你，最在乎的不是自己，而是其他所有人，以及整個地球的未來。只要是對他人有益的事，你不會吝嗇於掏出自己的金錢。但是這樣的想法，可能會造成心情上的沉重負擔。有時也該用金錢為自己做些有意義的事情。

理財勇者RPG

充滿自信的獵人

大自然的奧妙帶給我生存的意義！

屬於「獵人」類型的你，就算置身在嚴苛的環境裡，也能隨時保持冷靜，以俯瞰全局的角度思考事情。同時你擁有高人一等的觀念，明白應該要使用金錢做對地球有益的事情。但你可能不擅長與他人相處，所以建議你應該更加重視身邊的朋友。

理財勇者RPG

國境的巡邏員

守護每個人的和平生活，是我的職責！

屬於「巡邏員」類型的你，最重視身邊的同伴，隨時都以守護身邊之人為自己的職責。或許對你來說最幸福的事情，就是把金錢用在他人身上。如果你能夠更進一步，思考自己能為地球做什麼，那就更棒了！

理財勇者RPG

純真的偶像

我最開心的事情，就是看見大家的笑容！

屬於「偶像」類型的你，最重視的就是守護那些支持自己的人，以及他們最珍惜的環境。不過你可能過於在乎他人，有時若能把金錢用在自己身上，以自己的希望為優先考量，或許你將能看見新的世界。

理財勇者RPG

KO 12個生活中真實情境
電子貨幣的消費難題

理財勇者RPG
II
電子支付挑戰篇

監修

日本文部科學省消費者教育指導員
安算悅子 あんぴるえつこ

1967年出生於日本神奈川縣橫須賀市。生活經濟類媒體工作者。「孩童金錢教育思考會」代表。曾任職於報社，負責生活經濟版面，期間取得日本金融理財協會所認證的金融理財規劃師資格。因生產而離職後，經常在報章雜誌上撰寫家庭經濟相關文章，多次在電視及電臺節目中登場，此外亦積極投入演講活動。曾開設各種體驗講座，與參與者一同思考如何幫助孩子建立起讓自己及世上一切生命都能永續發展的金錢觀。個人構思的「製作咖哩遊戲」，在日本全國各地的學校裡受到廣泛運用。

作者
學研 PLUS 学研プラス

為所有年齡層的讀者提供「知的喜悅」與「學的樂趣」。

○○少年知識家

理財勇者RPG
II 電子支付挑戰篇

監修｜安算悅子
作者｜學研 PLUS
譯者｜李彥樺
審定｜魏郁禎（國立臺北教育大學教育經營與管理學系教授）
責任編輯｜張玉蓉
美術設計｜蕭雅慧
行銷企劃｜溫詩潔、王予農

天下雜誌群創辦人｜殷允芃
董事長兼執行長｜何琦瑜
兒童產品事業群
副總經理｜林彥傑
總編輯｜林欣靜
版權主任｜何晨瑋、黃微真

出版者｜親子天下股份有限公司
地址｜台北市104建國北路一段96號4樓
電話｜（02）2509-2800　傳真｜（02）2509-2462
網址｜www.parenting.com.tw
讀者服務專線｜（02）2662-0332　週一～週五 09:00~17:30
讀者服務傳真｜（02）2662-6048
客服信箱｜parenting@cw.com.tw
法律顧問｜台英國際商務法律事務所‧羅明通律師
製版印刷｜中原造像股份有限公司
總經銷｜大和圖書有限公司　電話：（02）8990-2588

出版日期｜2023年1月第一版第一次印行
定價｜480元
書號｜BKKKC229P
ISBN｜978-626-305-382-3（精裝）

訂購服務

親子天下Shopping｜shopping.parenting.com.tw
海外‧大量訂購｜parenting@cw.com.tw
書香花園｜台北市建國北路二段6巷11號　電話｜（02）2506-1635
劃撥帳號｜50331356 親子天下股份有限公司

國家圖書館出版品預行編目資料

理財勇者 RPG. 電子支付挑戰篇 / 學研 PLUS 著；李彥樺譯.
-- 第一版. -- 臺北市：親子天下股份有限公司, 2023.01
64 面；21×28 公分
ISBN 978-626-305-382-3（精裝）

1.CST: 理財　2.CST: 電子貨幣　3.CST: 電子商務　4.CST: 通俗作品
563.146　　　　　　　　　　　　　　　　111019807

立即購買 >

理財勇者RPG

I

實體支付挑戰篇

▶ 想要的東西與需要的東西／如何存錢
如何避免與朋友發生爭吵／聰明的購物方式 等

內容主題

II

電子支付挑戰篇

▶ 各種卡片／電信代收服務／遊戲儲值的注意事項
良心消費／SDGs 與金錢 等

內容主題